浮雲

池坊生花研究　葉物

監修――池坊専永

著――柴田英雄
池坊中央研修学院特命教授

本書は、平成13年4月に発刊された『浮雲　池坊生花研究 葉物』の内容をそのままに、製本・用紙等の仕様を簡素化した新装廉価版です。

序

華道家元四十五世

池坊専永

　柴田英雄師が、昨年出版された池坊生花の「伝花・変化形」に引き続いて、今般「葉物」の作品集を刊行されることになった。

　いけばなは、「師から弟子へ」と花の姿を受け継ぎ、新しい世代へと展開させていく文化である。それは、師がいける花の形を、ただ真似るのではなく、師の花の姿からいける心の道筋を、さらに花を通して師が伝えたいと願う哲学を会得することでもある。

　言葉を尽くして形を教えることは、それほど難しい行為ではない。だが、長い歳月かけて、ひたすら師の背中を通して花の姿を求める努力は、相当な精神力が必要であろう。

　柴田師は、故亀澤香雨師という立花にも生花においても秀れた良き師に従って、今日まで学ばれてきた。良き師が、良き弟子を育てられたことを、まことに嬉しい限りであると思っている。

　伝統的な生花の姿では、とりわけ一瞬の草木と人の出合いが、また一瓶を左右する場合も多い。いけたいと心にひらめく草木と出合えたときの気持ちも格別であるが、見出すためには、故亀澤師のいける姿を、姿勢を正して学ばれてきた日々があったかと想像している。

　池坊生花ならではの花の姿、花の心が、本書で紹介され、今後とも活躍されることを期待している。

　平成十三年四月吉日

浮　雲

柴田英雄　*Hideo Shibata*

岩を喰み陽を求めて
遙かなる天空をめざし
枝葉を伸ばす花たち
小さきは小さきままに
朽ちたるは朽ちたるままに
媚もなくあるがままに
密やかに息づく花たち

種を落とし根づいた処が生涯の棲である
風雪に苛まれ挫折を繰り返す花たち
ある時は岩をも砕き
ある時は一夜の霜に萎む花たち
生命は強靱にしてしかももろいものである
生きると云う事の苛酷な現実

いけばなは人の命と花の命の相乗である
己が姿、己が心の花への仮托
生花は一花一葉が生死をわかつ
花の生死は己が生死の見極めでもある
花と対峙し今その命を花瓶に展開する

はじめに

　花はとにかく美しい。何ものにも劣ることのない美の結晶であり、美の究極です。しかし、花は葉によって落ち着き、華麗な美は雅となります。花は葉によって生かされるのです。我々日本人は花は葉と同様、あるいは葉により多くの風情を感じとり、比重を置く特性があるといわれます。花の咲かない草木をも花といわれるゆえんが実はここにあるともいえましょう。

　特に生花は、枝葉に重きを置いていける様式であります。なかでも葉物といわれるものはことさらです。葉物は大葉物と長葉物とに大別されますが、本書では近年とみに外国からの輸入種の増加と栽培技術の向上により花卉の状況が著しく変化している状況も考えて、生花をいける場合に葉の働きが大きく作品に影響するものを含めて葉物の類としてとり上げました。

　また、生花の花材が少ないという言葉を耳にすることもしばしばありますが、新たな眼で見つめてみますと、新しい花材のなかにも、また鉢物として出回っている草木のなかにも生花として用いることのできる草木のいかに多く存在するかに気づきます。こうした点から本書は葉物と鉢物として出版しました。本書が皆さんのお役に少しでも役立ってもらえれば、これに秀る喜びはありません。

柴田英雄

目次

第二部　鉢　物 ————— 99
鉢物について ————— 100

生花について

　立花が高台に登って遙かかなたを遠望し、その景観を表現したの
に対し、生花は一木一草の命の営みをつぶさに観察し、その草木の
本念の性（出生）を尋ね、出生にたがわず、ありつきかなうように
いけることを第一義と考えて生かされてきました。その名が示すよ
うに生花の生は命ということであり、息づく草木の命を定かに見つ
め、内部にひそむ命を具現化することにあったのです。真副体（天
地人）三儀によって構成される半月形は、一木一草が陽（光）を求
めて生成発展する性を形取ったものであるとともに、やがて円満充
足するであろう未来に望みを托す人間の願いの形でもあります。奇
数を好み、陽の面を後ろに用いるのも、今日よりは明日に夢を抱く
けなげな人間の性なのでありましょう。こうした一木一草が自然界
の中で形成される姿の象徴化、あるいは抽象化が生花の形態を作り
出したのです。日本のいけばなは花と葉とともにあって美しいと考
えています。とりわけ生花は一枚の葉、一本の枝の占める比重がき
わめて重く、特に生花は極限まで枝葉の省略が行われます。小にお
いて大を、瞬時において永遠を表現する至純性の高い様式であり、最
も日本的であると考えています。自然界にあった草木が切りとられ、
山積されているさまはまさにごみの山です。そこからはあまり美し
さは感じとることはできないと思います。しかし一度ごみに等しい
草木を生花の形（実は一木一草の生い立つ姿）にしたがって組み立
てられると、にわかに生命体として息づきはじめることに驚かされ
ます。生花にはこうした魔力がひそんでいます。また、日本の自然
は実に豊かで変化に富んでいます。春夏秋冬、折節に咲く草木が雨
露風雪に耐えて、気象のかすかな変化にも微妙に反応する不思議な
生命の営みは驚嘆にあたいします。草木には汲めども尽きぬ味わい
があり、その妙なる姿をいかに花瓶に展開するかが生花の作業です。
また、草木は身は動くことのできない宿命を背負ています。まさに
雨の日には雨の中、風の日には風の中、根をおろしたその場所が生
涯のすみかなのです。そのなかで懸命に生き、決してさからうこと
なく、枝葉がつきあたることもなく、陽を求めて互いに譲り合い、助

け合う平和な姿こそ草木の我々への尊いメッセージです。真摯に受けとめ、二十一世紀という新世紀に生かしてゆきたいものです。

　生花正風体という三つの役枝から作り出されるいけばなは、二十数年前、四十五世池坊専永宗匠が発表された生花新風体とくらべると、立花同様の長い歴史があり、約束ごとを守りながら草木の「自らなる姿」を生かしてゆかねばなりません。しかし池坊生花の歴史は、自然に生育する草木を人の手によって無理やりに折ったり、曲げたりして、定められた枠の中にはめこもうとされているのではないと、いつも心に思っています。草木が「ありつきかなう姿」は、店頭にある草木を見て美しいと感じ、それではその草木がなぜ美しいのか、それが育った環境がどのようなものであったかを思いめぐらし、さらにもし実際に大地から育つ姿を、たとえ数ヵ月、一年ばかりでも自分の目で謙虚に観察することで理解も深まり、草木が生きたいと願う心をいけることができるのではないかと考えています。葉物の代表でもある燕子花は、四季を通してその姿が生かされてきましたが、それは先師たちがまさに野辺水辺を歩いて、「花は足でいけよ」という象徴的な表現を実行された結果であるとしみじみ思います。

　新しい世紀は、決して突然に何の脈絡もなく出現するものではなく、これまでに刻まれてきた試行錯誤の歩みの道から、手探りながら一歩でも前進してゆくことで、何らかの手がかり、未来へと発信できるのだと思います。生花正風体の「葉物」、さらに前向きな姿勢を外来種や鉢物にも、葉の命を求めて本音でいけることを試みたのは、そうした願いがあったからでもあります。約束ごとにこだわりながらも、時代や環境に順応する池坊生花のみごとな表現を、少しでも読者の方々にご紹介できれば何よりありがたいと思っています。

第一部　葉物

雲よ
若葉の声を聴け
すこやかに育つ木々のざわめきを伝えよ
紅葉し、大地に眠るきざしを
はるかな国にも
響かせよ

葉物について

　花は葉があってこそ美しい。葉は花の美しさを引き立て強調するとともに抑制する、相反する二面性をもっている不思議な存在です。日本人はこうした相反の共存こそ次元の高いもの、心地のよいものと見る特性があります。生花における葉物の存在も、こうした一面を示しています。こうした点から花と葉を同等、もしくは葉により重い比重を置く傾向があります。生花のなかで葉物として別に扱われるゆえんもここにあるのではないかと思います。

　葉物は大別して大葉物と長葉物に分けられます。大葉物とは幅の広い大きな葉で芭蕉、葉蘭、枇杷、朴、カンナ、河骨、銀宝珠、紫苑、石蕗、貴船菊、泡盛桝磨、猿猴草、ストレリチア、ヘリコニア、海芋、アマゾンリリー、クルクマジンジャーなどがあります。長葉物というのは葉が細長く美しい葉物で種類も多く、燕子花、花菖蒲、鳶尾、菖蒲、著莪、射干、フリージア、紫蘭、藪蘭、蒲、薄、グラジオラスなどの他、生花構成上、葉の占める役割が著しいものをも葉物として扱ってみました。

　その他、鈴蘭、チューリップ、秋海棠、大毛蓼、水引草なども葉物の扱いとしていけてみました。これら葉物は一枚の葉の有無や葉面の働き具合など、きめ細かい配慮が必要です。これは、葉物に限らず生花は「数少なきはかえって味わい深し」といわれるごとく、一花一葉への配慮と省略の極限まで迫る磨ぎすまされた感性を必要とする様式です。

葉蘭五枚生け

花材 葉蘭（はらん）

　葉は蘭（らん）に似ていますが、幅のある大きな葉で、日陰を好んで生育する多年生の常緑草木です。生花には一種で葉のみをいけます。そのいけ方は、生花の基本的な内容を最も良く表しているため、稽古始めの稽古終（けいこはじ）（けいこしま）いといわれています。生花は扱われる花材は奇数を尊ぶため、葉蘭も奇数枚五、七、九、十一、十三、十五枚を用い、十六枚以上はいけない約束になっていますし、七枚、九枚くらいが最も美しいように思われます。

葉蘭七枚生け

花材｜葉蘭（はらん）

葉蘭（はらん）の特性は、右の広い葉（右葉）と左の広い葉（左葉）の二種類があり、真をはさんで前後同数を用い、陰葉を一枚多く用い、真より前の葉は裏葉（陰葉）、真より後は表葉（陽葉）を用い、陰陽和合の姿をとります。真より前が右葉ならばすべて右葉で裏を見せ、左葉ならば左葉で統一して裏を見せ、真より後ろは右葉なら右葉で表を見せ左葉なら左葉で統一し表を見せて扱います。したがって陽方が常に幅の広く陰方が幅が狭い道理になります。こうした生花の基本理念を表しやすいため、稽古始めに用いられるわけです。

葉蘭九枚生け

葉蘭は床花として用いるものではなく、もっぱら稽古花です。花展などにいけるもので、九枚生けは七枚生けの前後に一枚ずつ加え九枚とします。枚数が増すにしたがって下段の枚数も増加します。葉丈のつまったものが必要となり、長短大小がそろってはじめてよい作品となります。花材の選択には十分心してとり組まねばなりません。

葉蘭十一枚生け

花材 ｜ 葉蘭<ruby>はらん</ruby>

九枚生けの前後に一枚ずつ加え、十一枚とします。生花は特例を除き、真を中心に前後同数、左右同数を原則とします。陰葉一枚多く後ろに陽を見せるのは、今日より明日に希望を抱くことを意味し、生花の形を借りて人間の願いをもいけ表します。

葉蘭十三枚生け

花材 ｜ 葉蘭

十一枚にさらに前後に一枚ずつを加え、十三枚とします。十三枚くらいに
なると、幅広い葉が隠れることなくそれぞれよく働くようにいけるのは、
なかなか難しくなります。葉蘭に限らず、葉物はすべて一枚一枚が役目を
果たし、生かされていなければなりません。

葉蘭十五枚生け

花材 ｜ 葉蘭

葉蘭十五枚生けは限度とされ、これ以上いけない約束になっています。十三枚生けのところでも述べましたが、一枚も働かない葉のなきよう、しかもそれぞれの趣が異なるようにいけることはなかなか至難のわざです。それゆえ「稽古終い」とも言われるゆえんがここにあります。

葉蘭と金盞花の根〆

花材 | 葉蘭（はらん）、金盞花（きんせんか）

葉蘭（はらん）に根〆を添えていける事があります。生花株要記（しょうかかぶようき）には次のように記載されています。

「馬蘭の事　組方に工者、不工者あるものなり。生花にて手練顕るゝものなり。しかし、雑草にて床の花には用ひざるものなり。花物を根じめに用ひる事、殊更よし。されども、古来より一種ばかりに生来れり。元来、客待受の花に用ひぬものゆへ、葉物ながら、葉ばかりを生けて手際をみる為のみを楽しむものなり。花は根に付て土中に咲く。この花のあるときは、花をあしらひに用いずなどといふ説もあり、様々論あれども、花はあるに甲斐なき殊更土中に咲く物なれば、花のある時節たりとも生方の趣に寄て花物そへてよし」

現在は用いられていないが、生花株要記に応じて水切り葉を入れた作例

早春の燕子花

花材 │ 燕子花（珍花）

燕子花は四季にわたり花を咲かせます。それぞれの季にそれぞれの姿を変えて咲きます。四季の変化にこれほど微妙に対応する草木に、驚きにも似た感動を覚えます。秋の花芽が越冬して春一番に咲く花を珍花と呼び、珍重します。のびたばかりの若葉の下のほうに、地にへばりつくように花を咲かせます。珍花に限り、一本の花でもよいことになっています。また、若葉ゆえ組みなおさず生葉遣いが多いものです。

早春の燕子花

花材 燕子花^{かきつばた}

生花株要記燕子花生方の事の項に、
「かきつばたは、その出生葉の先にて双方向合たるを組合すること出生なり。三枚の組葉も何れ一ヶ所、一瓶の内に用ひて出生の姿を顕す事なり。」「その外は二枚組、また、一枚添たるなど苦しからず。瓶中の取合ひ葉の働態とならず。おのずからなる趣を安らかにいけるべし。また、水切葉といふて根のもとに遣ふ葉あり。春の杜若には用ひてよし。また、もちひずともくるしからず。時の趣向によるべし。春の燕子花は葉などもつよく出生する物なれども手数の入れば葉も保ち難し。自然の葉の癖に随ひて、さのみ風流をこのまず。安らかにいけて葉は高く花は低く夏に至りてよふよふ高く生るべし」

春の燕子花

花材 │ 燕子花^{かきつばた}

燕子花（かきつばた）は四季それぞれの趣を呈し、一年中楽しめる数少ない花材です。春は大地から生い立つ姿がいかにも生々しく、葉の幅も広く素直な姿が見どころで、花も葉のぬくもりのなかで咲くため葉より低くいけるのが特徴です。花は、冠葉（かんむりば）といって花首より花の上に、ちょうど冠をつけたような形の葉をもつのが春の花の特徴です。

盛りの燕子花

五月中旬頃が燕子花（かきつばた）の盛りとなります。花と葉がほぼ同じくらいの丈になり、花数も多くなります。しかし葉はまだ幅も広く柔らかく、しっかりしていません。葉物はしっかりとした撓（た）めのきく葉の選択が大切です。葉肉が厚く素直な葉で、浅緑色の根元の赤いものが最上です。撓めの十分きくものが良く、やはり経験を積むうちに自然と体得できるものです。

夏の燕子花

花材　燕子花^{かきつばた}

葉もしっかりとして堅く、葉の幅も狭くなり、なびき葉なども生じ変化に富んだ花が楽しめます。花も冠葉^{かんむりば}がなくなり花茎より付き葉を生じ、撓め^たもききやすくなります。したがって釣り、掛け、重切など多種多様な花形が楽しめます。葉数を多くゆったりといけることが大切です。

夏の燕子花

花材 ｜ 燕子花（かきつばた）

生花株要記燕子花生方の事の項に、（しょうかかぶようき）

「夏よりは少し葉も打なびきたる風情などありてよし。秋は葉よりは花を高く用ひ、葉も少しみだれたる心にてよし」

炎暑の候ならば水も十分見える器にゆったりと大らかにいけたいものです。

初秋の燕子花

花材｜燕子花 <ruby>かきつばた</ruby>

夏の花と同じく、花を葉より高くゆったりといけます。葉にも秋の気配を
とどめてなびき葉、垂れ葉など用いるとともに虫喰い葉など交え、虫の音
など聞こえるがごとく風趣豊かにいけたいものです。見えないものが見
え、聞こえないものが聞こえるかのごとく、遊び心を楽しみたいもので
す。

秋の燕子花

花材 ｜ 燕子花_{かきつばた}

霜がおり野山の木々が赤く染まる頃になると、燕子花_{かきつばた}の葉も枯れ葉や黄色の葉が目立つようになります。そうした葉を交え、深みゆく秋の情趣を表します。花は葉よりも低く、葉のぬくもりに霜をよけるかのごとく侘びたる風情を出したいものです。

晩秋の燕子花

花材　燕子花

花材　かきつばた
燕子花

秋も晩秋ともなると、野辺は錦に包まれ、霜枯れて冬支度をはじめます。葉も乱れ、一層侘びた風情を呈します。葉数もめっきり減り、葉先に霜枯れが目立ってきます。命をもつものの宿命や生々流転の相が感じられ、もののあわれもひとしおです。

冬の燕子花

花材 | 燕子花
かきつばた

生花株要記燕子花生方の事の項に
しょうかかぶようき

「冬は葉幽かに見て花は低く枯葉などあしらいて葉も花も一瓶冬枯れて侘しきおもむき
を生る事よし。四季の姿、その時々出生の池に臨て出生のすがたを考え風情を瓶中に
模し生る事なり」

珍花冬の燕子花

花材 | 燕子花^{かきつばた}

珍花^{ちんか}として春の初め、冬の花が少ないときに咲く珍しき季^{とき}の花で、この場合は一輪でもよいことになっています。本来その季の最も初めを賞して呼ぶもので、初春に一輪咲き出たものがよく、祝儀として用いられます。冬の間に出ることも珍花ですが、改まった席の花には用いないことになっています。しかし冬枯れのなか、枯れ葉のぬくもりのなか、わずかに残る緑に包まれてひそやかに咲く姿にいとおしさを感じます。

菖蒲二本生け

花材 │ 花菖蒲
（はなしょうぶ）

生花株要記によれば、菖蒲生方の事の項に

「端午の祝儀に香ほり菖蒲とて葉ばかりの菖蒲に逢生をあしらひ生る事あり。これは、その当日の祝儀の物にていささか、その式をとゝのへたる物なり。花菖蒲は水陸ともに生出て岡草に取合生る事あり、水草に取合生る事もあり苦しからず」「生方、杜若に同じ生方にて、菖蒲は葉に品の付事悪し。ただ、すらすらと葉筋よく通りて葉にいささかも癖のなきように生る事よし。花は高く用ひ、葉よりも延出たる事よし。また、莟など二本同じ高さに用ひる事あり」

菖蒲三本生け

花材 ｜ 花菖蒲（はなしょうぶ）

花菖蒲（はなしょうぶ）はその出生から、だいたい真の花形にいけるのがふさわしいのですが、数多くの花をいけるときは行の花形をとることもあります。ふつうの生花の場合には、真を中心に前後同数、左右同数とするのが基本ですが、花菖蒲の花数を多く用いる場合は下段に、花少なく真、副に花を多く用い、真の後ろに花数が多くなりがちです。

菖蒲五本生け

花材 | 花菖蒲

花菖蒲は競い咲く性状を写して丈競べに開花を高く上段に集め、下段体には葉ばかりか花数が多くなれば堅い蕾(莟)をふつうの体よりやや高めに用い、頭でっかちにいけると菖蒲らしさが表せます。

菖蒲七本生け

花材｜花菖蒲（はなしょうぶ）

葉はやはり燕子花（かきつばた）同様に葉組みをしますが、体に三枚組み中高といって三枚組みの中央の葉を高く用います。その他は二枚組みで前短後長の組み方にします。花菖蒲（はなしょうぶ）は花の付き葉を特に大切にいけて、足りないところを組み葉で補う心でいけることが大切です。

鳶尾

鳶尾は日本種と洋種の二種があり、日本鳶尾の場合は葉が柔らかいため葉
組みをせず、うぶな姿の葉を選びいけます。洋種の鳶尾は葉組みをし、体
の三枚葉はだんだん低くだんだらに組みます。その他の葉組みは二枚組み
として前長後短に組んでいけます。花数は多く用いず、二～三本くらいが
適当です。

溪蓀三本生け（菖蒲とも表記する）

生花株要記あやめ生方の事の項に、

「あやめの花は数本生たる事よし。葉も数多く入てよし。かきつ、菖蒲のごとく葉をもぎて（葉組みのこと）生る事にあらず。そのままにて、花にとりあひ入て、後にそむきたる葉を鋏とるべし。およそ花は七本より以上がよし。もっとも、いささかの高下長短ありて、花は余りひきくみゆること悪し。上段より下段までの内、花は立延び出る心入よし」

溪蓀五本生け（菖蒲とも表記する）

溪蓀^{あやめ}は陸物^{おかもの}で、湿地帯でなくても育ちます。白色と紫色の二種類がありま
す。葉は燕子花^{かきつばた}や菖蒲^{しょうぶ}より細く、葉には少しねじれがあります。葉が細く
柔らかいため葉組みをせず、そのままの葉を用います。ねじれにしたがっ
て撓^ためることが大切で、乱れた葉は切りとってととのえます。

溪蓀七本生け（菖蒲とも表記する）

花材｜溪蓀（あやめ）

溪蓀（あやめ）は葉の根元が紅色になっているのが特色で、水際（みずぎわ）にはこの特色（出生）をぜひ見たいものです。したがって、採集のときに小さい体の葉、長い真副の葉を心がけて採集することが大切です。また、溪蓀は一種生けに本来の美しさが出るので他のものを交ぜたり、他のものの根〆として用いることは好ましくありません。

著莪

著莪は山陰や藪地など陰地に自生する多年草で、四月から五月に可憐な花をつけます。著莪も葉組みはせずいけます。花茎には葉もついていますが、下部の葉は昨年の古葉で枯れています。真の後あしらいや副に用い著莪の出生とし、味わいを添えます。花材の採集には地下茎もつけて抜きとってくるといけやすく、大切なことです。

紫蘭二本生け

花材 | 紫蘭(しらん)

花はふつう紫色ですが、白色のものとの二種類があります。葉は互生し、花は四月から五月頃蘭(らん)に似た小さな花をつけます。花は二～三本を用いていけます。葉は斜前後(ななめ)にふり出して一本で真副、小ぶりの一本で体に用います。花茎の最下部には小さい葉がついています。この葉は大きく生長しない葉で、とり除かないで、水際より少し上方にかすかに見せていけます。

口紅紫蘭

口紅紫蘭は品種改良されたもののようで、淡いピンクの花に紅をさしたよ
うなふちどりのある可愛い花をつけます。普通種の紫蘭に比べ葉が丸みを
おびています。紫蘭のいけ方は二本生けと三本生けの二種類があります
が、これは真副体にそれぞれ花を用いた三本生けです。

ヴァロータ（バロータともいう）

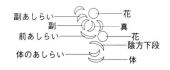

副あしらい————花
副————真
前あしらい————花
陰方下段
体のあしらい————体

アマリリスの改良種で球根の植物です。アマリリスと同様、葉の和合の外に花をつけます。アマリリスより花が小ぶりでいけやすく、ふつう花二本で真副の株と体の株とに用い形をととのえます。挿し口は図のようにします。

アガパンツス（アガパンサスともいう）

アガパンツスは五月頃花を咲かせます。直やかでのびやかな姿はまさに
五月晴れを感じさせる南アフリカ原産の植物で、葉の和合の中に花を咲か
せます。二株でいけ、高い株を真副に、低い株を体の株として用います。
花は葉より長く抜き出て咲く出生から二倍くらい高く用い、体の花は副よ
り高く用います。

蒲と河骨の魚道生け

花材 | 蒲、河骨
がま こうほね

蒲は沼地や湿地帯に生育し、夏に花穂をつけ、葉だけで用いたり花葉とも
がま
に用いたりします。花があまり華やかでないので、ふつう根〆を用いたり
魚道生けとして用いられます。
ぎょどういけ

蒲と燕子花の交ぜ生け

花材 │ 蒲、燕子花

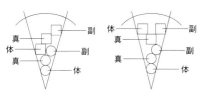

蒲は葦と同様に水陸両用の植物ですが、陸物の根〆は用いず水草を根〆や魚道生け、または交ぜ生けとして用います。交ぜ生けは二種類の植物で、それぞれ三儀（真副体）をととのえた複合体の花ということができます。挿し口は交ぜず前後に用いますが、後ろの株の体は真の前に挿す場合と、後ろに挿して陰方段あしらいとして用いる場合の二種類があります。

薄に桔梗の根〆

花材 │ 薄(すすき)、桔梗(ききょう)

薄(すすき)は種類も多く縞(しま)や矢筈(やはず)などがありますが、やはり普通種の薄が味わいが
あります。秋には花穂をつけ秋の到来を告げる植物ですが、華やぎがない
ので根〆を用いたり交ぜ生けに用いられます。

薄と桔梗の交ぜ生け

花材 | 薄(すすき)、桔梗(ききょう)

交ぜ生けは本来、秋草で秋特有の情趣をいけ表すもので、生長のピークを過ぎた草木が互いに交じり合い、乱れ咲くさまを写したものです。根元は交ぜないで、上で互いに交じり合うようにいけます。夏の水草にも、この手法を借りていけます。

藪蘭

藪蘭は一見見落としがちな花で、生花はそんな美の発見者なのです。こんな花がと思われるものが、生花としていけられると見ちがえるほど美しく感じられることがあります。それが生花の魅力です。藪蘭は、夏に細い棒状の先端に紫色の花をつけます。葉の和合の外に花をつけるので、その出生にしたがっていけます。花はここに置くというきまりはなく、適宜その趣により配置します。

射干五本生け

花材 ｜ 射干（ひおうぎ）

射干（ひおうぎ）の種類もいろいろあり鶴首射干（つるくび）、達磨射干、孔雀射干（くじゃく）などがあります。この作品は、鶴首射干で、花茎が長くのび立つ出生をもっています。花茎の節々に互生の葉をもっています。節と節の間をつぶすようにして撓（た）めると折れずに撓められます。下葉をとり除き、水際（みずぎわ）には花茎を見せて葉を整理していけ上げます。

萱草

花材 │ 萱草^(かんぞう)

野萱草の挿し口

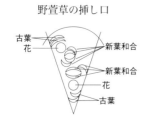

古葉
花
新葉和合
新葉和合
花
古葉

萱草には野萱草と藪萱草、姫萱草があります。それぞれ出生が異なり、野萱草は初めに出た葉の中から新葉が和合して生じますが、花は初めに出た葉と新葉の間に生じ葉より高くのびて咲きます。海芋と同じ出生です。藪萱草と姫萱草は葉の和合の中に花を咲かせます。野萱草のほうが葉がしっかりしていて生花としていけやすく、葉組みをせず真副に用い、体の葉のみ組み直して低く用います。

萱草

花材 | <ruby>萱草<rt>かんぞう</rt></ruby>

野萱草の挿し口

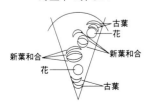

古葉
花
新葉和合
新葉和合
花
古葉

<ruby>萱草<rt>かんぞう</rt></ruby>は色あざやかなラッパ形の黄色の花を咲かせますが、一日花で短命です。日ごとに咲き変わり、はかなくも美しい花です。一株を真副、もう一株で体の株として二株で形をととのえます。

フリージア五本生け

花材 | フリージア

　フリージアも渡来植物で、近年になって生花としてとり上げられた植物です。花茎に数枚の細長い葉をつけた美しい長葉物です。葉組みをせず、株のまま付き葉をさばき形をととのえます。

銀宝珠

花材 銀宝珠(ぎぼうし)

草木集(そうもくしゅう)に、

「葉物の内、銀宝珠、玉のかんざし、或は紫苑、つわぶきの類は葉低く、花は高く生け
る事よし。副体の間短かく、真より添(副)迄の間遠く生る事出生をうつす心也」

とあり、この種のいけ方をする植物にこの他、貴船菊(きぶねぎく)、石蕗(つわぶき)、泡盛桝麿(あわもりしょうま)、
猿猴草(えんこうそう)、車前(おおばこ)などがあります。

銀宝珠

銀宝珠（ぎぼうし）の種類もいろいろあり、玉簪（たまのかんざし）、斑入（ふい）り、姫銀宝珠などがありますが、いけ方は同じです。葉が叢生（そうせい）している間から花茎が抽き立ってのびる性状の葉物ですから、真に花高く二本に長短をつけて用います。真の花の高さは葉の二倍を目安に、真の花の長短は高い花の四分の三くらいとし、葉の中央に二本一ヵ所に挿し、短い花を陽方に挿します。真の葉を裏向きを基本としますが、表を見せる方法と二通りがあります。

銀宝珠

たいへん大きな葉の銀宝珠（ぎ ぼ う し）でしたので、三枚で大胆にいけてみました。四十世池坊専定宗匠の挿花百規（そ う か ひ ゃ っ き）に掲載されているものに習っていけた作です。専定生花は草木の息づく姿がとらえられ、変化に富んだ味わい深いものがあります。真副の間遠く、副体の間近い花の器は広口のたっぷりしたものが望ましい姿です。

石蕗

花材 ┃ 石蕗（つわぶき）

花は十月から十一月頃咲き、種類もたくさんあります。鬼石蕗（おにつわぶき）、斑点石蕗（はんてんつわぶき）、斑入り石蕗などです。いけ方は、銀宝珠（ぎぼうし）と同様真副の間遠く、副体の間近くいけます。やはり、真の葉を裏に扱ういけ方と、表を見せていける二通りがあります。作品は裏遣いです。

石蕗

石蕗（つわぶき）は銀宝珠（ぎぼうし）や紫苑（しおん）と同じようにいけますが、それぞれの個性を出すようにいけます。真副体には大ぶりな葉を用い、その他のあしらいには小ぶりのものを用います。真の花は開花の多い一本を、もう一本は蕾（莟）がちのものを陽方後ろに用い、花の丈は葉の一・五倍から二倍くらいに設定します。作品は表葉遣いです。

紫苑

紫苑_{しおん}は花と葉の株が別々に生育する特殊な植物です。花は葉の三倍くらいに長くのびますが、そのままでは形がとりにくいので、葉の二倍くらいにちぢめて用います。銀宝珠_{ぎんぼうし}と同じく、真副の間遠く、副体の間近いいけ方にします。

紫苑

花茎には付き葉が互生に生じ、梢（こずえ）になるほど小葉となります。付き葉の最上部になると、枝分かれした梢に花がつきます。この花を二本用い真とします。一本は高く、一本はやや低く陽方に用います。葉は別株に葉のみ生じたものを葉蘭（はらん）同様に扱っていけます。花器は平らめの器がよく、置き生けに限ります。

貴船菊

花材 | 貴船菊(きぶねぎく)

貴船菊(きぶねぎく)は秋明菊(しゅうめいぎく)とも呼ばれ、秋風にたゆたう姿はやさしく繊細な感じのする花です。九月から十月頃花を咲かせ、花は葉の二倍くらいとして花二本を真に用い、銀宝珠(ぎんぼうし)同様真副の間遠く、副体の間近い花形とします。葉柄一本を一枚と数え、奇数本用います。

台湾貴船菊

花材 ┃ 台湾貴船菊

ふつうの貴船菊よりやや茎がしっかりしている感じです。貴船菊はピンク色の花と白色の花の二種がありますが、これはピンク色のものです。いけ方はまったく変わりありません。この種のいけ方の花器は籠か広口、または盃形のものがふさわしいと思います。

泡盛枡磨

花材 ｜ あわもりしょうま
泡盛枡磨

あわもりしょうま
泡盛枡磨は山地の湿地に自生する多年草で六月から七月頃、白色の花を咲かせます。花の色はピンクのものもあります。細い茎と泡つぶに似た花に風のたゆたいを感じ、炎熱の夏に涼を添えます。貴船菊同様、真副の間遠く、副体の間近い花形にいけます。

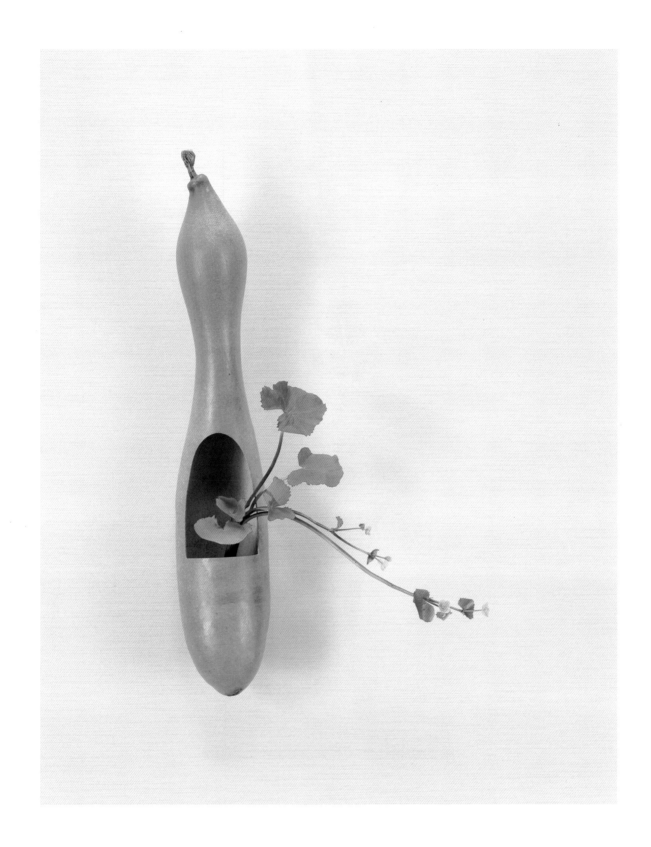

猿猴草

猿猴草は本州中北部の山地の湿地を好んで自生し、五月頃横にのびた花茎に黄色の梅鉢形の花をつけます。葉より花茎が長く、真副の間遠く、副体の間近い花形にいけますが、銀宝珠や紫苑のいけ方とは異なり、出生から懸崖式にいけ、釣りの水盤にいけることが多いようです。(筆者著『草笛』参照)

岡蓮

花材 岡蓮（おかばす）

岡蓮（おかばす）は竜金花（りゅうきんか）や猿猴草（えんこうそう）の仲間であろうと思われます。姿形がきわめて近い
ものです。竜金花や猿猴草は共に水草ですが、岡蓮は陸物（おかもの）です。空洞の主
幹の節に数本の葉と花茎をのばし、先端に梅鉢形（うめばち）の黄色の花をつけます。
株をなして生育するので真副で一株、体で一株でいけた作品です。

岡蓮

　この作品は真副体にそれぞれ一株を配した、三株でいけたものです。この<ruby>岡蓮<rt>おかばす</rt></ruby>は20〜25cmくらいの背丈で花期は二月下旬から四月上旬まで咲きます。

岡蓮

花材 ┃ 岡蓮（おかばす）

岡蓮（おかばす）を雪月花にいけてみました。雪月花に猿猴草（えんこうそう）をいけたものがよくあります。猿猴草は猿の手のように長く花茎をのばして咲くので、釣り手の外に長く振り出していけますが、この岡蓮は背の丈も短いので図のようにいけました。小さいがゆえに釣り手によって空間が限定され、花を強いものに感じさせます。

海芋

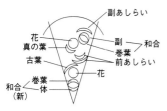

海芋は白色花と葉に白の斑紋のある黄花海芋の二種がありますが、いずれも沼地や水辺によく育ち、葉は株で生じてその間から花茎をのばします。白色海芋の出生は野萱草と同様で、新古の葉の間に咲き、和合の中ではありません。二株または三株でいけますが、上図の挿し口を示すと次のようになります。

黄花カラー

花材　黄花カラー（黄花海芋）

純白の海芋の出生と異なり、この種のものは和合の中に花を咲かせます。葉の斑紋の入った種類で白色のものも近年見受けられます。黄花同様、和合の中に花を咲かせます。したがって、その出生にしたがっていけます。

クリスタルフラッシュ（カラー）

花材 クリスタルフラッシュ（カラー）

カラーの仲間で近年出回っている新種です。黄花カラーと同様、和合の中に花を咲かせます。海芋や黄花カラーに比べて葉が細く、いけやすい花材です。葉数は奇数枚用います。

カンナ

カンナも種類も多く、大別して黄花と赤花があります。葉が大きく株となりますので、二本生けか三本生けが形をととのえやすいようです。葉が花茎についているので、各々の葉の向きに注意して花茎の向きを定めます。小ぶりの花を体にととのえた後、大ぶりなものを真と副に用います。カンナは水揚げの悪い植物ですが、切り口を酢の中に五分間ほど浸した後、深水に入れるとよく水揚げをします。

曇華

曇華はカンナの仲間で、花もやや小ぶりでしまったものが多いようです。
水揚げもカンナに比べてよく、扱いやすい花材です。いけ方はカンナと同
様で、花は二本か三本が適当です。花器も大籠か壺形のものがふさわし
く、体に蕾（莟）がちなもので小ぶり、真、副は大ぶりで開花しているも
のを用います。

曇華

花材 | 曇華（だんどく）

二本生けの場合は開花している大ぶりの花と蕾（苞）がちの小ぶりの花を
用意し、小ぶりの花を体に、大ぶりの花を真・葉で副とします。付き葉も
大きいので、これも加えて全体で奇数になるようととのえます。

クルクマジンジャー

　四十一世池坊専明生花集にも掲載されている花材で、葉はカンナの葉に似たやや肉の薄い葉に包まれて、花は低くうずくまる形に咲きます。この出生を生かし、葉で生花の形を作ります。花器も平らめのたっぷりしたものがよいと思います。

アマゾンリリー (ユーチャリスともいう)

花材 アマゾンリリー

葉欄に似た肉厚な葉の和合の中に、ラッパ水仙に似た白い花をつけます。
広葉で株になって生育するため花二本を用い、小ぶりの蕾 (莟) がちなも
のを体に、大ぶりな株を真副に働かせていけます。三株にもいけられると
思います。新しい花材のため約束づけられた形はきまっていませんが、カ
ンナなどの形状が似たものを参考にするとよいと思います。

アマゾンリリー（ユーチャリスともいう）

前作同様にいけますが、この場合は葉を七枚にして体の花を少し高めてみました。まわりの空間を見つめて、緊迫感のある姿にととのえることが大切です。花器も広口の平らめのものが調和がよいでしょう。

河骨

花材 | 河骨^{こうほね}

河骨^{こうほね}は水物で大葉物です。葉は開き葉と巻き葉で総数奇数でととのえ、花は一株ならば二本、二株は男株に二本、女株に一本用います。上の作品では男株に花二本、葉七枚、女株に花一本と葉四枚を用いています。ふつう葉より花を低くいけます。

沢瀉

<ruby>沢瀉<rt>おもだか</rt></ruby> <ruby>慈姑<rt>くわい</rt></ruby>
沢瀉は慈姑に似た水草で、夏、淡い紫をおびた白色の小花をつけ、炎熱の
夏に涼感を与えます。やや幅の広いものと、上図のような細手のものがあ
るようです。幅広のもののほうがいけやすいと思います。花は、葉より低
くいける場合と、高く用いる場合があります。花は二〜三本、葉は奇数枚
とします。

ヘリコニア

近年とみに外来種がふえてきました。こうした植物も積極的にとり入れることが大切な時代に入ってきています。ヘリコニアも種類が多く、垂れるものから立ち上がるもの、赤色から黄色とあります。作品は黄花のプシッタコルムと思われます。花茎に葉が互生して生じる広葉物です。付き葉を生かして、たりないところを適宜葉を補っていけます。花は二〜三本くらいがよいと思います。

ヘリコニア

この種のヘリコニアは花よりも葉が高く生育します。その出生を生かして、葉で全体の形をととのえます。広葉物ゆえに花器も大籠か広口、平らめの花器が調和すると思います。

ストレリチア

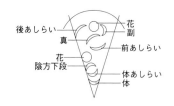

熱帯の植物で、多肉質な葉と彩やかな色彩をもつ植物で、極楽鳥花とも呼ばれ、花の形が鳥の頭に似ているところから名づけられたものと思われます。葉は長い葉柄と幅広い大ぶりな葉で和合して株をなして生育し、その外側に花をつけます。出生を生かし、花二本か三本を用いていけます。

大毛蓼

蓼（たで）の一種で大きな葉をもち、丈（たけ）も２mも近いものもあります。枝の先端には赤紫の５〜10㎝くらいの花をつけ、無数の花房を下げる姿は実に美しく、秋の風情を感じさせます。葉物としてとり上げるのは異論もありましょうが、生花構成上、葉の占める割合が大きいので、あえてとり上げてみました。

大毛蓼

花材 ｜ おおけたで
大毛蓼

深紅色の花穂が秋風にゆれる姿は秋草ならではの情趣です。付き枝を上手に利用し、総数奇数に用います。大きい葉ゆえ葉の整理に注意してととのえます。

秋海棠

花材 ┃ しゅうかいどう
秋海棠

秋海棠は葉の形が一方は広く、一方は狭く変形しています。「磯のあわび
の片思い」という言葉がありますが、まさにこの葉はあわび状の大きな葉
をつけ、ピンクの可愛い花を咲かせ秋の到来を告げる花であり、四十世池
坊専定宗匠の名作が眼に浮かぶ花でもあります。

秋海棠

花材 ┃ 秋海棠<ruby>しゅうかいどう</ruby>

秋海棠は節が紅色に染められた茎に大きな浅緑の葉をつけ、先端には可愛いピンクの花をつけます。つややかな麗しい花で、生花構成上、葉の占める比重は重く、その扱い方で風情も変わります。

秋海棠

秋海棠は美しい花ですが、水揚げのよくない花材です。特に金けを嫌い、
剣山などに挿すとすぐに水を下げます。紅色の節のところを縦に爪できず
をつけると、水がよく揚がります。

水引草

花材 ｜ 水引草 (みずひきそう)

夏から秋にかけて、目立たない花ではありますが水引 (みずひき) に似た花をつけます。赤花と白花、斑入り (ふい) の葉など種類も多く、楚々とした風雅に富んだ花です。葉の存在が大きく、一枚の葉の有無が作品の良否を決定します。

水引草

水引草<ruby>みずひきそう</ruby>は花らしからぬ花をつけます。地味ではあるが、よく見ると結構存
在感のある花です。花心粧<ruby>かしんしょう</ruby>にも掲載されていますし、古人はこうした目立
たない花にも目をそそいでいたことに感心させられます。

蔦

花材 ｜ 蔦（つた）、竜胆（りんどう）

蔦（つた）は蔓状にのびる茎に楓（かえで）に似た葉を互生してつけ、地をはうように生育します。古葉の濃緑と新葉の浅緑のグラデイションが美しく、生花花材としてとり上げてみました。蔓物でもあり、懸崖（けんがい）にして横掛けにいけました。花がないので、竜胆（りんどう）を根〆に添えてみました。

蓼

花材｜蓼（たで）

蓼（たで）は「蓼喰う虫も好きずき」などといわれるように、口にするとからく喰（く）えない植物です。また、こうしたものを好んで食べる虫もいます。好みは人それぞれのたとえに使われる植物です。田の畦（あぜ）などに繁殖してピンクの小さな花房をたくさんつけ、雅味のある植物です。

上﨟杜鵑

花材 ｜ じょうろうほととぎす
上﨟杜鵑

じょうろうほととぎす
上﨟杜鵑は九月から十月頃黄色の花を咲かせます。垂れ下がる性質のある
植物で、たわわな茎に笹状の葉をつけ、その先端に花をつけます。直射日光
をさけ湿地を好んで生育します。垂れ物ゆえに懸崖にし横掛けにしまし
た。

草牡丹

花材 | 草牡丹(くさぼたん)

草牡丹(くさぼたん)は葉が牡丹の葉に似た草物で、花は淡紫の目立たない侘びた花です
が雅味のある花です。葉は大きく葉が生花の形を決定します。

草牡丹

花材 | 草牡丹
<small>くさぼたん</small>

前作品（95ページ）は花を高く葉を低く用いましたが、この作は葉を高く花を低く用い、花数も少なくいっそう侘びた感じを表してみました。この草牡丹は鉄線の仲間のようです。

蕗の薹

　蕗_{ふき}の薹_{とう}は春を告げる花です。残雪の中に初々しくも清らかな姿を発見した
ときの感激は何とも言えないものです。そんな思いを生花にしてみました。
蕗の薹は葉も薹も短いし水揚げが難しいので、地下茎から掘り起こして、
地下茎をつけていけ上げます。

第 二 部　鉢 物

雲が
やせた木立を冷やかに眺め
まるで見知らぬ旅人の
薄いコートをつきさすように
激しく北へと動く
一瞬の光が
心を暖かくする

鉢物について

　近年とみにガーデニングの流行とあいまって、鉢物が各家庭に進出してきています。その種類も多く、かなりの数にのぼっています。こうしたもののなかにも生花として十分使用できるものがあります。

　また生活空間の狭小化にともない、ミニチュア生花が望まれる時代が到来しつつあります。こうしたなかにあって、鉢物の生花はますます必要性を高めることでしょう。

　生花としては、むしろ太く大きな栽培種より、しまりもよく細くたおやかな鉢物のほうがいけやすいともいえます。栽培種と鉢物の併用も、今後の課題として考えたいものです。

草木の分け方

　池坊いけばなでの草木の分け方は、一般の植物学上の分類とは少し異なります。あくまで、いける者の見た目を尊重して、大きく次の三つに分けられます。

　　木物——木質部のある樹木の類。松、檜（ひのき）、伊吹（いぶき）を三木と呼びます。

　　草物——木質部のない、外見上やさしい草や花の類。

　　通用物——木物とも草物ともどちらともいえる類。種類が多く、竹、藤、牡丹（ぼたん）を三通用物といいます。

　通用物は、木物に対しては草物に、草物に対しては木物の扱いをします。木に近い通用物（岩躑躅（いわつつじ）、薔薇（ばら）、竹、木槿（むくげ）、小手毬（こでまり）など）と、草に近い通用物（虎杖（いたどり）、竜胆（りんどう）、万年青（おもと）、山吹、紫陽花（あじさい）、金雀児（えにしだ））などがあります。

　草木のおいたちから、次のように分けることもあります。

　　陸物——山野、畑、庭などに育つ草木。

　　水物——池や川、沢、沼など水辺に育つ草木。

　　水陸両用のもの——花菖蒲、葦

　さらに、次のようにも分けられます。

　　実物——実の美しいもの。

　　葉物——葉が美しいもので、大葉物と長葉物があります。本書はこれをとり上げています。

　　蔓物——他に巻きついて生育するもの。巻ひげ、飛び根、吸盤などの性情のものがあります。

　また、垂れ物としても分けられています。これは枝先が垂れるもので、蔓状のものだけではなく、木、草、通用物にもあります。太蘭（ふとい）も花が垂れるので、実は垂れ物です。なびき物という見方もあり、石榴（ざくろ）は花の季節に重みでなびきます。葉蘭（はらん）はなびき物で葉物というように、これらは重複して見ることができます。

たいつり草（華鬘草ともいう）

たいつり草は、牡丹に似た葉が茎から互生して出て、花茎の先端にピンク
の可愛い花が垂れ下がり、やさしい雰囲気をかもし出します。長く立ちの
びた一本を真とし、もう一本をあしらいに働かせ、その付き葉で副に、堅
い蕾（莟）の一本を体として形をととのえました。

スパティフィルム（スパティフィラムともいう）

スパティフィルムは長い葉柄をもつ長楕円形の葉の中に、高く抜き出た白い仏炎苞（ぶつえんほう）の花が咲きます。付き葉を利用しながら花を高く和合の中に用い、二〜三本の花を用います。葉数は奇数に、体は蕾（莟）がちなものを用い、真副に開花を用います。

スパティフィルム（スパティフィラムともいう）

花材 ｜ スパティフィルム

　近年ミニな鉢物として多く出荷されているものを用いました。大ぶりなもので真副、小ぶりなもので体をととのえました。住空間の狭小化にともない、こうしたミニチュアの生花も必要とされることでしょう。

マスデバリア

花材｜マスデバリア

　小さな鉢物で生花の花材としては見落としがちな材料ですが、作品にして
みるとなかなか見どころのある植物です。葉も多肉質でしっかりしていま
すし、花にも表情があり可愛いものです。ミニチュア生花として狭小化住
宅にマッチします。

ベゴニア・ウェノサ

花材 | ベゴニア・ウェノサ

ベゴニア・ウェノサは繊毛を有する多肉質なねずみ色をした大きな葉をもつ植物で、その葉間より長い茎をのばした先端に白い花を咲かせるユニークな植物です。新花材として生花にとり入れてみました。

ベゴニア・アイアンクロス

花材 │ ベゴニア・アイアンクロス

アイアンクロスは、本来観葉植物として親しまれています。浅緑の大きな
葉の中央部には星形の黒い斑が入り、葉の美しい植物です。葉だけで十分
観賞にたえるものですが、池坊の生花で葉のみで構成するのは葉蘭と芭蕉
くらいのもので、花のあるものを本則とします。したがって、作品は目立
たない黄色の花二本を用いととのえました。

タイガーベゴニア

このベゴニアは、葉よりかなり長く花茎をのばし、可愛い白い花を先端に
つけます。高くのび出た花と葉で、真副低く蕾（萼）がちな一本で体の花
として用い、五枚でまとめました。ミニチュアな生花です。

ペペロミア

花材 ｜ ペペロミア

ペペロミアは観葉植物として鉢物で出荷され、親しまれている植物です。車前にも似た棒状の花をつけ、葉の和合の外に花をつけます。葉は楕円形で、葉面に縮みをもった濃緑色で長い葉柄をもっています。こうした新花材のいけ方は約束はありませんが、よく似た形状の植物に習っていけます。車前に似ているので真副の間遠く、副体の間近い形にいけてみました。

紅葉葉朝顔

紅葉葉朝顔は、朝顔とはいっても一日中花は萎むことなく咲いています。
鉄線の仲間かもしれません。蔓性のもので、葉は楓のような形をして水揚
げもよく、釣り、掛けの花材としては最良です。

ミニアンスリウム

花材｜ミニアンスリウム

　　ミニアンスリウムは、鉢物として近年とみに普及してきました。日本人は
物をミニにすることが得意のようです。こうした鉢物のなかから生花とし
ての適材を探すことも、今後の課題です。積極的にチャレンジしてみてく
ださい。

ゼラニウム

長くのびた開花一本を真に、蕾 (莟) の一本を体に用い、付き葉を上手に
働かせて形をととのえます。不用な葉をとり除き、葉の面の働きや方向を
考慮して奇数枚でととのえます。

チューリップ

花材 | チューリップ

チューリップは細長い肉厚な白みをおびた緑の葉に包まれ、花首をのばして咲きます。花の色や形も多種多様のものがあります。紫蘭や繻子蘭同様、葉の果たす役割の大きい植物で、真副に一本、体の株に一本を用いていけてみました。体は蕾（莟）、真は開花を用います。

チューリップ

花材 │ チューリップ

　チューリップもいろいろの種類が出ています。鉢物として出回るようにもなりました。切り花の場合は、葉がいたみやすく扱いにくいので、鉢物を使用すると上手にいけ上げられます。本来、付き葉で形をととのえるのですが、適当なものがない場合には葉を添えることもやむをえないことだと思います。

ミルトニア

花材 ｜ ミルトニア・イシュタル

ミルトニアは蘭の一種で、近年鉢物として親しまれている植物です。草木の姿を見て、風趣に富んだいけ方にすることが肝要です。作品はミルトニアの表情から左体の形式にいけてみました。

シクラメン

シクラメンは鉢物として各家庭に普及しました。その種類も多く、花の色や形もさまざまで変化に富んでいます。そのなかから葉の長いものをとり出して、生花材料に選定しました。真副で一株、体に一株として花二本でいけ上げました。体は蕾(莟)がちに、真に開花を用います。

洋種金盞花

花材 | 洋種金盞花

洋種金盞花は、在来の金盞花に比べ小花で葉もひきしまった感じがします。生花材料として十分鑑賞にたえることのできる植物です。適材を探す眼を養うことが大切です。

ラベンダー

花材｜ラベンダー

ラベンダーはハーブの仲間で、香りのよい植物です。寒暖の差の大きいところほど花の色が美しく、近年人気の高い植物となっています。鉢物としても出回っています。そんな一鉢から生花花材として選定してみました。

鉢 物　117

薔薇

薔薇_{ばら}は古くから不老長春として親しまれてきました。一種生けにも、二種生けとして根〆にもいけられます。現在では花の色や、大輪から小輪と、種々さまざまのものが出回っています。生花としては小輪のほうがいけやすいと思います。

木香薔薇

木香薔薇はバラ科の植物で、蔓状にのびる薔薇です。その出生を生かし横掛け、釣り、向掛けなどにふさわしい材料です。

セイロンライティアー

セイロンライティアーはセイロン（スリランカ）原産で鉢物として販売されていたものを見つけ、生花花材としてとり上げてみました。こうした新しい眼で見つけ出してみると、かなり生花用の花材として発見できるものがあります。

ドゥランタ・バイオレット（デュランタともいう）

花材｜ドゥランタ・バイオレット

ドゥランタ・バイオレットは蔓状にのびた枝先に紫色の小花をたくさんつける気品高い植物です。現在、鉢物として全国に販売されています。秋にはつぶらな黄色の実をつけ、花とともに賞味できる植物です。

ハーデンベルギア

花材 ハーデンベルギア

小町藤といわれるそうですが、小さな藤の花にも似た花を茎の先端につける植物で、薄紫と濃い紫の種類があります。鉢物として多数出回っているもので、蔓性のもののようです。向掛けにいけてみました。

オブコニカ

オブコニカは鉢物としてサイネリア、シクラメンなど同様、親しまれてき
た植物です。ミニチュアの生花として用いると、なかなかよいものです。
浅緑の葉と紫の花の調和もよく、新春の初々しさが漂います。

ディプラデニア

サマードレス（白色）、サマーブーケ（黄色）と同じ仲間の植物で、蔓性
の茎の先端に赤紫の朝顔形の花をつけ、気品に満ちた姿は生花用として好
花材です。蔓性のため釣り、掛生けの懸崖生けに適した花材です。

繻子蘭

繻子蘭<ruby>しゅすらん</ruby>は、布地の繻子に似ているところから名づけられたものと思われます。葉の色つやが繻子のようで、こげ茶色で茶の縞<ruby>しま</ruby>が入った観葉植物です。早春に葉の中から棒状の白い花をのばして咲きます。開花一本で真副、蕾 (莟) がちの小ぶりのもの一本で体とし二株でいけます。

エピデンドルム（エピデンドラムともいう）

花材 ｜ エピデンドルム

中南米には野原にたくさん自生していて驚いたことがあります。蘭の一種
で、葉は茎に互生して下方に密生し、上方で花首を長くのばし、小花が密
集して咲きます。葉の整理が作品の良否を決定します。

デンドロビウム・ベリー

花材 | デンドロビウム・ベリー

デンドロビウム・ベリーはデンドロビウムの原種かと思われます。花茎に対生の葉をもち、その先端には可愛いピンクの花をつけます。いけ方としては、体に蕾（莟）を、真副に開花を用い、対生の葉を上手に使い、それぞれの葉がよく働くように用います。

ゴールデンカラテア

花材 │ ゴールデンカラテア

カラテアの仲間は種々の物があります。ゴールデンカラテアは朱色の花が
葉の和合の中に立ちのび咲きます。鉢物として市中に出回り、親しまれて
います。これもミニチュア生花として十分鑑賞にたえるものとなるでしょ
う。

生花株要記考

（本文は原文に可能な限り即することを意としているので、漢字仮名文字の統一や現代仮名遣いを必ずしも用いていない）

一、生花濫觴の事

その始まりは立花より出て、立華の一瓶を真、副、流をもって躰とする。生花はこの三つをかたどり花形とする。名付けて三儀という。また真、副、躰という。書院床餝りの巻に三具足のかざりがある。これは立華である。荘厳餝り付を略して卓の上に香炉、下に生花、これを草の餝りとする。これが生花のおこりであり、卓下の花を始まりとする。

一、生方の事

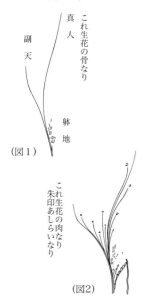

これ生花の骨なり
真　人
副　天
躰　地
（図1）

これ生花の肉なり
朱印あしらいなり
（図2）

三儀の姿、これすなわち真、副、躰である。又天、地、人と見る。添を天として、躰は地、真を人とする。もし花形を略して生ける時、真と躰、真と添だけで姿を整え生ける時はこの内におのずから三儀は籠れるものである。しかし姿は二段と見えるが、これを俗に添はずし、躰はずしなどと唱えられて来た。上の外にあしらいの枝葉は極り尽しがたいものがある。そのうち内副といって真の内に添えて生ける枝がある。これは一瓶の姿が中段より下段つよく、上段にちからがなく見える時に、真にちからを添える為の手法である。その外、すべてあしらいというのは是になぞらえて知るべきである。あしらいは華形によりて数多く用いても、又用いなくてその定まりはないものである。時に応じて差別があるべきものである。しかし先ず初心にはとかくあしらい多く用い生ける事が稽古の為にはちからがついてよい。枝なども数々付たるままを生け習う事が手練の為にはよい。

一、真行草の事

（図3）
真
副
体

真の姿は枝葉多くを用いないで直に見るものである。けれど、ただ直なるのみでは風情がなく、花に情がない。いささか姿に風韻があるのがよい。真の生花華器は青磁鯉耳の花生、或は竹の寸筒、又は薄端およそこれ等の類である。そのほか、広口はもとより異形の器に生けることはない。

一、行の花の事

（図4）

行の花は器物に定りはない。置生ものは何んでもよい。掛生にも向うがけには行の花生でよい。もし枝葉に屈曲があれば、其のまま生ける。これも別に好んで屈曲をつけてはならない。ただ自然の枝ぶりに応じて千変万化定りはない。

一、草の花の事

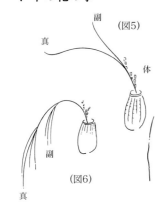

（図5）

（図6）

草の花というのは掛花の事である。又二重切の上の重にも生ける。一瓶の花の姿を横に見る心である。たれ物を生ける時もこの意である。併、柳などのたれもの、その外糸檜葉などの類はたれた枝で二段の心がけで生ける。たれものの時はこの心でいけるのがよい。又花器と席との取合によってたれ物真ばかりひとたれでもよい。あしらいも数々用いてよい。しかしたれものの時は真のうらへそえも同じくたれて出る。きおうものはあしらいたりとも真の裏へ出る事は悪い。

一、花配りの事
　　花握ともいう

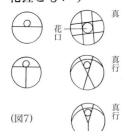

（図7）

真、行によって花くばりに心得がある。しかし井筒の組の外はすべて行、草に用いてよい。諸草生花に用いるには水をもってこれを養う。井は泉にて水の湧き出る所である。このゆえに井の字を作って花配りという。凡そこの花配りの内、見はからいで用いて華器の方円ともに通じる。

一、花の高さの事

花器の大小によって心得がある。古来一たけ半に生る事が定まりである。けれども広き席大床などには華器より花の姿は大きく生ける心がよい。其の内中古よりはとかく大形な花に移って来た。花器二たけ、三たけ花生にはふさわしくない程の生花が世に行われて、今は一たけ半の花は花器にまけて不相応な心地がする。時節の風俗であるから当世の気に生る事がよい。花に花器が不相応に大形であるけれども、それほど大きく思われないのは中古より大きなはなを見なれて来たからであろう。砂鉢にはその躰定まりがない。多くは大形な花がよい。しかし、又時によっては小形なものを生て水を多く見せたものもよい。会合などには大形なすがたがよい。其内砂鉢には花形の平らかな姿がよい。

一、根じめの事

但し凡二尺ばかりより姿の低い生花には根〆を用いてはならない。根〆というものは躰のことにて三段の下段である。木ものの根〆に草を用いる事は出生前より出すべきである。木ものに木の根〆用いる時も前より出した方がよい。しかし、また木ものに木の根〆ならば、後ろより出してもよい。草の根〆を一本遣う事は悪い。すべて根〆一本は悪い。二本以上用いるべきである。但し、生花一種生の時は三段より同じものの縁のつづきであるがゆえ一本の躰を生ける事、木でも草でも認められる。

一、通用物の事

草ものの根〆に木ものは用いてはならない。しかし通用の品は木の根〆又は草の根〆に用いてもよい。通用というは木でもなく草でもないもので、たとえばれだま、えにしだ、竹、○藤、○山吹、○卯の花、黄梅、○萩、白丁花、○長春、○小手まり、金糸梅、沈丁花、深山樒、すずか

け、あじさい、南天、れんぎょう

凡そこれなどの類を通用物といって、木でなく、草でもないものである。
その内○印のものは凡一種生がよい。どう云う理由ということはないが
一種の方が面白い。

一、魚道の事　　　　砂鉢に生ける時、魚道という事がある。出所二株に出る。もっとも水草
を生る時のみの事である。たとえば、杜若に河骨など生るのにかきつば
たで真副と生て躰に河骨を用い、杜若と河骨との間を置て生ける事であ
る。この魚道も○○このごとく並ぶのはよくない。○○このごとく前よ
り見て重って見える位にすべきである。岡草を広口に生ける時は、かな
らず一株生に限るものである。またふといなど幾株にも生ける事がある。
三株五株などすべて生けてもよい。又杜若一種生で魚道生けとして二株
に生ける事もよろしい。

一、水陸生方の事　　時によって水草と岡草と同じ器に生ける事がある。この時かならず広口
花器でなくてはならない。水と岡との隔があって生方に習いがある。す
べて瓶中の水は岡物を生ける時は水を土と見なし、水草を生る時は水を
水と見るのである。この時岡物を向うに見て水草を前に見る。岡と水と
のあいだ、およそ魚道を造ったごとくに間を置いて其の合に石を水より
三分ばかり出して置くのである。岡物の根を石で見切、其前に水草を生
けるのがよい。其石は岡草の根元で幅二寸ばかり見えるのがよい。石よ
り向うは岡、石より前は水と見るのである。又時によって水草の根〆に
岡物を用いた時は、この時も水は前に生て岡ものはうしろに生て後より
前に出して根〆の姿を整え、出所は水草よりもうしろにあって其の岡物
の根に石を見せる事がある。

一、二重切の事　　　上の重に草の花生、下の重に行の生花生ける事である。上の重に真副と
生けて、下の重に躰をいけることで、一瓶の花を二の花口に割て生ける。
これ即ち二重切の生方である。しかし、草木の上下、水陸の上下はどち
らになっても構わない。生物の花口は別々であるが故である。これを二
重切の一徳とするものである。珍花があれば上下取合せて三種生にして
もよい。夏の花に上の重に花をいけ、下に水ばかりにしておくことがあ
る。これは炎暑の時、水をみるためのものである。古来よりあることで
ある。

一、陰方陽方の事　　真、副、躰と三段に生て、副方を陽、真の裏を陰とする。元来立華より
出た生花であるから立華と同様である。立花に草は陰、木は陽とする。
其剛柔からも知るべきである。

一、客居主居の事　　客居というのは上座を受ける方である。三儀の姿を生けて副方陽で主居
とする。下座である。躰の方は陰方で客居とする。上座である。これは
立花の意であって生花も同意である。陰方の下座を上座とする事に口伝
がある。猶々修行して自然と会得すべきである。

一、生花に嫌うべきもの	生花は元略したものであるから立花に用いないものもおよそは生花には もちいてもよい。しかし用いても詮なく、おもしろからぬ物がある。い にしへよりおよそもちいない品は 　　　百日紅（さるすべり）　蘇鉄　八ツ手　まんじゅしゃげ　しゅろう 　　　竹の子　木の実　柿　桃　梅　橘など実のなるものはよくない。
一、花器の事	花生に色々ある。近来、殊に花道流行して新製品が多い。しかし世に珍 らしいといって価貴を好んではならない。花の取り合わせが能くうつる 花生がある。また、よい花生でも花の取り合が悪い器物がある。粗末な 器でも数多くあることがよい。およそ、青磁鯉耳の花いけ、また、古代 の物である真の生花をいけるとよい。竹は寸筒で、真の花に用いるとよ い。竹の花筒など床にあって恥かしくないものである。金銀をもって作 った花生などは主の心がしられてよくない物である。また花生でない物 に花を生る事はない。馬たらい、釣瓶などすべて花器に製した物でない。 これに花をいける事はない。
一、籠生花の事	大輪の物を奥ふかく生ける心入がよい。又手のある籠には手を見切る事 はよくない。手を提るという心もある。籠の手およそ中程より横に切っ て出る事はよい。中程より下の方で横へきり上の方へ立ちのび生ける事 はよい。先ずおよそ手の高さ七歩三歩位下より七歩を置て上の方はきら ないように心得て生けるのがよい。
一、窓の花筒の事	竹は一重切、獅子口という。この筒も向う掛などに用いて月の輪を見切 る事はない。また窓の花筒は窓の口より花を横へと振り出して上の方へ 立延びたのはよい。正面で見切る事はよくない。とかく筒の内に花を見 る事がよい。上方ばかり花があって筒の内がさびしい事はよくない。
一、一種生の事	すべて草木とも一種生る事を専らとする。根〆を添えて二種に生る事は、 真副に色なき物を生花にあまり色がないと云うので根〆に色ものを添え る事が二種生の始りである。一種を生る時は其花の賞美一種にとどまっ て其花を愛する心である。しかし当時大かたは根〆を用いる事が多くな った。
一、床に不用品の事	草木ともに古来より有る目出度物は床に用いてよい。客招請の改った時 は殊にその品を撰用ることが大切。会合同様に心得てはならない。床花 というは一瓶置かあるいは対瓶の心など床飾りの式になるべき花であ る。また連花と云って床に五瓶、七瓶も並べたのは会合と同じである。 およそ改りたる時、用いない物はあらまし下に書く。 　　　葉蘭　銀法師　鳥かぶと　しゃが　いばら その外、すべて異草、異木の類悪い。なお考えるべきである。梅、菊な どの類はよい。

一、燕子花生方の事

（図8）

これを水切り葉という

（図9）

かきつばたは其出生葉の先で双方向かい合ったものを組合すことが出生である。三枚の組葉をどこでも一ヶ所一瓶の内に用いて出生の姿を顕す事である。三枚組葉と云うのは図のようである（図8）。右と左は時に応じ用いる。其外は二枚組又は一枚添えてもよい。瓶中の取り合葉のはたらきわざとならないようおのずからなる趣きを安らかに生けるのがよい。又、水切り葉といって根の元につかう葉がある。春の杜若には用いてもよい。又用いなくてもよい。時の趣向による（図9）。春の燕子花は葉なども強く出生するものではあるが手数をかければ姿もくずれがちである。自然の葉の癖に随って素直にあつかい風流を好まないで、やすらかに生て葉は高く花はひくく、夏になればやや花も高く生けるのがよい。夏からは葉も少し打ちなびいて風流のあるのがよい。秋は葉よりも花を高く用い、葉も少しみだれぎみに心得るのがよい。冬は葉もかすかにみえて花はひくく枝葉などあしらい葉も花も一瓶冬がれて、わびしい趣きを生るのがよい。四季のすがた其時々の出生の池に臨んで出生の姿と考え、風情を瓶中に模して生る事が肝要である。

一、菖蒲生方の事

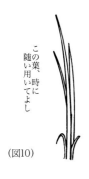

この葉、時に随い用いてよし

（図10）

端午の節句にかおり菖蒲と云って葉ばかりの菖蒲に蓬生をあしらい生ける事がある。これは其当日の祝儀の物で行事に合わせたもので特種なものである。花菖蒲に石竹など取合て生る事はもっともよい。菖蒲は水陸共に生い出て岡草に取合て生る事もある。水草に取合て生る事もある。どちらもよい。芦なども陸にも生い出るものではあるが古来水産のものとなっているので今更岡物に取合すべきではない。菖蒲水岡共に通じて用いる。生方かきつばたと同じ生かたで、菖蒲は葉にしなをつける事はよくない。只すらすらと葉筋よく通って葉に少しも癖のないように生ける事が大切である。花は高く用い葉よりも延び出た姿がよい。又苔など二本同じ高さに用いる事がある。凡、菖蒲は花の高さ咲き揃うものである。それゆえ花の並ぶ事も許されるのである。しかし一瓶の花形に花の据え所がなくては花形を整えることがむつかしい。上段中段に長短高下を用い、その内にあって葉より花の立延びた心入れが肝要で下段には葉ばかりにして花は用いないで生けるのがよい。葉の組方はかきつ同様、図（図10）のように右三枚組葉一ヶ所用い、但し中の葉高く組む。

一、あやめ生方の事

あやめの花は数本生けたのがよい。葉も数多く入れてよい。かきつ、菖蒲のごとく葉組をして生けるのではなく、そのままの葉を花にとり合わせて入れて、後から乱れた葉を鋏で切りとる。およそ花は七本より以上がよい。最も少しの高下長短をつけるが、花はあまり低くあつかうことはよくない。上段より下段までの内で、花は立ち延びる心入れがよい。

一、一八、著莪の事　　　　　この二種はおよそ同様の生かたで葉はそのままの組葉で後ろへふって葉は陽（表）で真の向うに見え、又前より陰（裏）で真の前にあてて生ける。そえも多くは葉の表を見せて後ろに遣う。花はその内に用いる。花数は多くは用いないで二〜三本ばかりがよい。

一、銀法師生方の事　　　　　花を高く生る事がよい。葉はひくく組む。凡花は二本がよい。もっとも高下があって花の高さ三尺あれば葉は下段およそ一尺余の内で高下長短があって面白く組む事が工（巧）者のわざである。二本の花は真とみて高く躰は下段にひくく組むのである。三枚より以上数多く生る者を工者とする。もっとも半の数がよい。

一、紫苑生方の事　　　　　　およそ銀法師と同様の生方とする。しかし銀法師より葉が立延びたものであるから出所はひくくとも高く見えるものである。何れ葉より花を高く生る事がよい。葉数は三枚より以上に多分（数）を生けるのを工（巧）者とする。

一、馬蘭の事　　　　　　　　組方に工（巧）者不工者のあるもので生花の手練のよく顕れるものである。しかし雑草なので床の花には用いてはならないものである。されど古来より一種ばかり生けて来た。元来客接待の花として用いないものであるが故に葉ものながら葉ばかり生る。手際（技）を見るためのものである。花は根に付て土中に咲く。この花のある時は他の花をあしらいに用いないと云う説もある。さまざまの論もあるが花はあってもそのかいなく殊更土中に咲くものであるから花のある時節であってもその生け方は趣きによって他の花ものを添えてもよい。

一、生花心得の事　　　　　　生花は元来出生を考えて生ける物であるから、その時に随い、梅はうめ、桃はもも、かきつはかきつ、あやめなどそれぞれの出生に随い其姿趣きをやすらかに生る事がよい。ただ花の風躰にのみ興味を抱いて出生の姿を失う事が多い。殊更初心には、屈曲のゆがみや曲ったものをえらんで用いるが、心なき人の目には面白いと見えるかもしれないが品がなく賤しいわざである。とかく自からなる姿を考えて生ける事で其花により物柄によってそれぞれの風情をかたちどり生ける事を心がけるのが肝要である。其の内に自然とゆがみ、曲ったものもあるけれどもこれを嫌い捨てることではないが、まず花を生けるという心得はただ其出生の姿にそって風情をとり、ことさら手業で枝葉の風情をつくってはならない。しかし先初心のうちはただ三儀の姿を整える事にのみ心して幾度も心を込めて生る内にこれこそ自然の風情ではなかろうか。これや今少しなどと心に浮ぶものである。これこそその意味をもって自からこの道の深き趣を知るべきである。只数々生け試みてよく考えるべきである。

一、去嫌の事

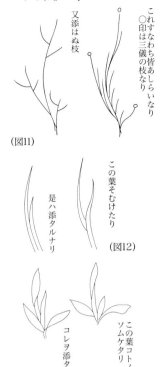

（図11）

又添はぬ枝

○印は三儀の枝なり

これすなわち皆あしらいなり

是ハ添タルナリ

この葉そむけたり

（図12）

コレヲ添タルト云

この葉コト〳〵ク ソムケタリ

（図13）

きらうべき事。およそは古来より伝わって来た事もあり、古伝の巻々にもあって今更書取ることではない。その中に未だ書き伝わってない去嫌の花の肝心なことがある。すべての草木とも瓶中に生けて葉にも枝にも、何れそうものとそわないものの差別がある。これを心得なければ花形が整えにくい。およそ小枝でも同様である。この心得なくて生ける時は添えたる枝葉にその真、または副などもちからになるだろうとおもったものも、かえってその物の障りとなって、よく整った花もみにくい姿となるものである。これをあらまし図で示す（図11、12、13）。生花の三儀のほかは皆あしらいである。このあしらいは真にそうか、副にそうか三儀の内のちからの弱い方のちからとなるために添えるのである。

一、生花と掛物と取合の事

掛物に林和請だと云って梅を生け、陶淵明だと云って菊を生け、あまりにも掛物と花を取合せてそれだけに心がけたのは却って面白くない。ただそれとなく差合わないように心得たのがよい。あるいは俗人が虎の絵に竹を生た事があったと云う、おわらいぐさである。

一、松竹梅の事

松竹梅は伝授の物で許しなく生る事は出来ない。松と梅とを竹の花筒に生けて、これを花生とともに松竹梅の心で生る事はたまたまはよいが好んでする事ではない。松竹梅は真、草の生方がある。その内真行の生方には三儀の外にまた一儀（胴）がある。加ったように思われる。これを疑いまよう人がある。これ則松竹梅という特種な生形である。常の花と別の生方だと心得てよい。松竹梅の花で梅のない時は紅梅はもとより八朔梅、冬至梅、庭梅、黄梅など仮に用いる事がある。許されることである。

一、連花の事

（図14）

手巾壱尺四方 さらしがよい

花器、花とも銘々携えて連花の事がある。また人を招請して連花の時は花器などその主人が数々並べ餝って、水は七分目ほど入れて置く。花は数々の種類をあつめて生溜においてよく生かし花盆など用意し、水次、小刀、手巾など組合すのである。図のようである（図14）。

一、竹花筒の事	二重切を限界として、三重、五重、七重などという筒はない。切かた七器といってその姿七種ある。 　　　獅子口、二重切、釣舟、寸胴（筒）、尺八、根竹、平根竹　これを 　　　七器という。 この余に一重両窓、二重両窓がある。これは獅子口より割出した物で形は異なっているがまず獅子口同様の墨打である。また近来四十世専定の好み物で立鶴を新製した。これは寸胴より出たものである。
一、棚上花の事	違棚に生る生花である。この花は立花には胴束餝りがある。これに生花を生る時は、花器は背ひくく胴のふとい物がよい。もっとも広口ではない。形は水差に似た姿の物がよい。花は草の生花で正面に下がって花のおもてを見る心入がよい。
一、棚下花の事	砂鉢に砂ものを置事が床餝りの定法である。これに生花を置時は砂鉢、または広口がよい。もっとも冬は広口でも口のところが狭いすがたの物がよい。略して泊り舟などはよい。しかし書院などに釣舟があれば用いてはならない。
一、広口花配りの事	轡、蟹、五徳など世に多く製造されたもの。当家ではこれを用いない。すべて形のあるもの用いない。古代では花の姿も今のように大きい姿のものはなく、生花はただ閑静なものを好んで花の方も至って小さな物であった。砂鉢、広口でもいささかの小石を集めて生留た物でこの頃の花のように五尺、七尺にも及ぶ花はない。今、石に穴をあけて花配りとする。古代の石生という心を捨てないものである。また、渦といって鉛でもって造った物がある。これは同じ造ったものではあるが水に縁があって何の形というものではない。すなわち、水の姿であるものゆえに水にみなして用いるものであるからよい。
一、柱掛の事	床のはしらに横懸に花を生る事。この花は床の隅の方へ赴事がよい。床淵より前へ花を出す事はない。もっとも草の生花である。また席によって床柱の前に柱釘が打った席もある。これに花を生る事はない。向う掛は床の内に有物で正面に振り出して生てよい。向う掛は草の花、行の花ともに生けてよい。
一、懸ものを取たる後花を入る事	長い掛物の後は置花入がよい。横物の後は懸花入れがよい。
一、掛もの名筆に心得の事	掛物も花も同じ床の飾物であるが、名筆のものには心得が必要である。掛物が人物などの画の物ならば、人物の顔、また筆者の名や印に障らぬようにしたい。枝葉も一、二葉とり除いて生ける。
一、珍花名花の事	珍花の草木は連花の席であれば上座に置く。床に立花の節は中央に置く。銘花、珍花はすべて同様に心得てもっとも多分（沢山）生る事はない。

多分にあれば珍花の意味がない。品の少いのは賞美が大きい。おもわしくない枝葉が有っても鋏を入れる事をしてはならない。

一、しゃれ木花生の事 　しゃれ木の花生には木の花は好まない。草の物を第一に用いるとよい。

一、垂撥の事 　すいばちは広間、会席などに懸花入を用いたい時のためのものである。床の内に掛る事はない。元は聯_{れん}より出たものである。

一、茶席の花の事 　茶の湯に人を招いた時、その席において主人より花を乞う事がある。この時、花生には水を七分目ばかり入ておくものである。もし水がなければ客より乞いて水を入て、さて花を生るには合客と幾度も譲り合って挨拶し、その上是非にと人がすすめた時、花盆を手元によせて、心静に花数があれば亭主に尋て、そのうち一種を手の内でほどよく姿をととのえ、花生は床にその儘にして花を差入れるものである。手を離してさて水次で水を九分目ばかり入れる。花盆は勝手口より左か右か、主人の出る時都合のよい方に直して置く。さて、元の座につき拙い花の断_{ことわり}など合客に挨拶をして、その後主人が出て花を見る時、主人にも花の手際の見苦しいが御望に任せ生けました、お笑い下さいなど挨拶をする。茶席の花は多く懸花入である。向うがけ、または釣舟などがある。主人の好みにまかせ何も花配りなど用いないで生る事がよい。しかし、もし置生で口広き花生であれば花配りを用いてよい。もっとも梅生時は梅を用い、菊ならば菊を生ける。茶席の床落し掛けに舟を釣事がある。千家の好である。花は床より外へ出る故当家ではこの落し懸に釣事はない。しかしもし主人の好でこの釣舟に花を乞事があれば生てもよい。花を小さく生ておよそ舟の格好より外へ出さないで生る事がよい。

一、茶花の事 　茶の席は中古より侘しいという心で、台目で中柱に松の皮付柱などを用いる。生花もこの心得で侘敷くありたい。花はひときわ心高く、もっぱら雅韻のみを生けるものである。書院花は習い安い、茶花はその趣が得難い。しかしこれを早く会得するには、およそ茶花は三儀の内副を除いて生けるか、躰を除いて真と副とを生置くことがよい。俗に添はづし、躰はづしなどと云われている。この姿にも三儀は、その内に籠められているものである。まず茶の花には、この生方が相応するものである。深く筆ではのべることは出来ない。

一、菊などに薄副生る事 　この花はすすきは添物と心得るのがよい。真と添など薄を用てその花に当て菊をもちい、菊より薄が高くみえるけれども菊の添物である。また瞿麦_{くばく}（なでしこ）に刈萱_{かるかや}などそえる。

一、追善花の事 　追善の花には殊に清らかな物を生る事が大切。花には幾重にも露をそそぎ清めて心も改め、仏に手向るという心構で生る事である。すべて色あるものを用いてはならない。赤い色も除くのがよい。しかし連花などで数瓶に及ぶ時は、その席で霊前を餝り付た席の一間だけ赤い色を除いて、

そのほかは色取合の花があってもよい。また会主の人だけ赤色を憚って
そのほかの人は赤い色を用いる事もよい。雑木、雑草、その外そむいた
物も用いてもよいなどと云う人もあるが、兎角、仏に供え奉るものであ
るから、その品を撰び用いるべき物である。

一、移徒花の事　　　　　わたまし花はもっとも祝儀のものである。古来より目出たいとされて来
た草木がよい。この花「ひ」の字の付くものはすべて用いてはならない。
火扇（ひおうぎ）、檜などの類など。むかしある人がわたましに火車という花を生
け、ご主人の機嫌をそこねたと云う事がある。火の字のつくもの、また
赤い色の物は火にたとえられるものであるからさけるべきである。白色
を専ら用いるとよい。木末切留りなどをすることはすべてよくない。

一、途出花の事（かどで）　　かど出の花はただ祝儀の生方で別に替った事はない。花は目出度ものは
ひとしお賑やかに生て、また添の下などに帰り枝といって行戻った枝を
撰んで用いる。しかしながら思わしい枝のない場合は用いなくてもよい。
また柳の長く垂たものは結んで置くこともある。これは唐土の故事によ
ったものである。時の趣向というべきである。

一、婚礼花の事　　　　　松竹梅を第一とする。しかし梅のない時は菊などを用いて、その時その
時の季節の目出度いものがよい。杜若、菖蒲などを生る時は白色を用い
るべきである。紫の色は黒色として祝儀の物ではないからである。色直
しの席は一きわ花も賑やかに生る事がよい。紅白取交えたのがよい。松
竹梅は島台に松竹梅の面影があるので生花に松竹梅を生ける事は重なっ
て悪いなどというものがあるけれど、これは用いてよい。左様に云うの
ならば掛物にも松のある時は島台にも松を使う事が出来なくなってしま
う。兎角、目出度いことは重なってもよい。思わしい花のない時は松な
どを生けるとよい。もっとも若松など殊更よい。根〆にはその時節の物
の花やかなものを用いるとよい。

（以上、個人蔵より）

あとがき

　このたび、池坊専永宗匠の温かい御理解により「浮雲（葉物と鉢物)」を出版させていただくことになり、感謝の気持ちで一杯です。出版にあたり、日本華道社の専芳様はじめ編集の方々のなみなみならぬ御協力を賜り、特に多忙のなかを手間取る撮影にも献身的な御協力、御指導を賜りました写真家の木村尚達氏のお陰でやっと出版にこぎつけることができました。本当にありがとうございました。思えば池坊いけばなを習いはじめて半世紀がたちました。長いようで短い歳月でした。苦しかった事、楽しかった事、さまざまの思い出が走馬燈のように思い出されます。炎熱の夏の盛りの花材の採集や、冷房のないなかでの汗まみれの稽古、また寒風のなか、自転車で通った寒稽古、スランプで挫折しそうになった若き日の思い出は尽きませんが、思えば花一筋の人生でした。続けてきてよかった、池坊でよかったとしみじみ思います。

　花の楽しさを教えてくださった最初の先生との出会い、亀澤香雨先生の厳しくもやさしい人との出会い、昭和52年の池坊中央研修学院講師としてとり上げて下さった専永宗匠、本当にありがとうございました。そして多くの学生や先輩、知人との出会いや励まし、人は一人では過ごせない多くの人々との善意に見守られて、はじめて生きられることをあらためて知らされました。命の限りこの道を走り続けたい。一人でも多くこの喜びを分かち合いたい。いつの日かまた、日本の伝統文化いけばなが大きく花開く時がきっと来ると信じています。

　2001年春吉日

柴田英雄

著者略歴

柴田英雄（しばた ひでお）

1934年　愛知県蒲郡市に生まれる。

1951年　池坊に入門。

1955年　故亀澤香雨先生に師事。

1966年　池坊華道専門学院卒業。

1971年　中南米にいけばなの普及のため、外務省より派遣される。

1977年　財団法人池坊華道会派遣講師。

　　　　池坊中央研修学院講師。

1978年　生花新風体紹介のため、全米に派遣される。

1983年　財団法人池坊華道会派遣助教授。

　　　　池坊中央研修学院助教授。

1992年　財団法人池坊華道会派遣教授。

　　　　池坊中央研修学院教授。

2004年　財団法人池坊華道会派遣特命教授。

　　　　池坊中央研修学院特命教授。

2009年　池坊教学面で最高位となる橘香章を受章。

　　　　現在に至る。

浮雲

池坊生花研究　葉物

2015年7月21日　　　　第1版第1刷発行
2022年3月6日　　　　　第2刷発行

監修 ⋯⋯⋯⋯⋯⋯ 池坊専永

著者 ⋯⋯⋯⋯⋯⋯ 柴田英雄

発行者 ⋯⋯⋯⋯⋯ 池坊雅史

発行所 ⋯⋯⋯⋯⋯ 株式会社日本華道社
　　　　　　　　　〒604-8134
　　　　　　　　　京都市中京区烏丸三条下ル 池坊内
　　　　　　　　　TEL.075-223-0613

編集 ⋯⋯⋯⋯⋯⋯ 株式会社日本華道社編集部

協力 ⋯⋯⋯⋯⋯⋯ 華道家元池坊総務所

撮影 ⋯⋯⋯⋯⋯⋯ 木村尚達

装幀・本文レイアウト ⋯ 廣瀬 郁、水橋真奈美、森 隆博

印刷・製本 ⋯⋯⋯⋯ NISSHA 株式会社